＊flowersフラワーコミックス＊

＊flowersフラワーコミックス＊

風光る 17

もくじ

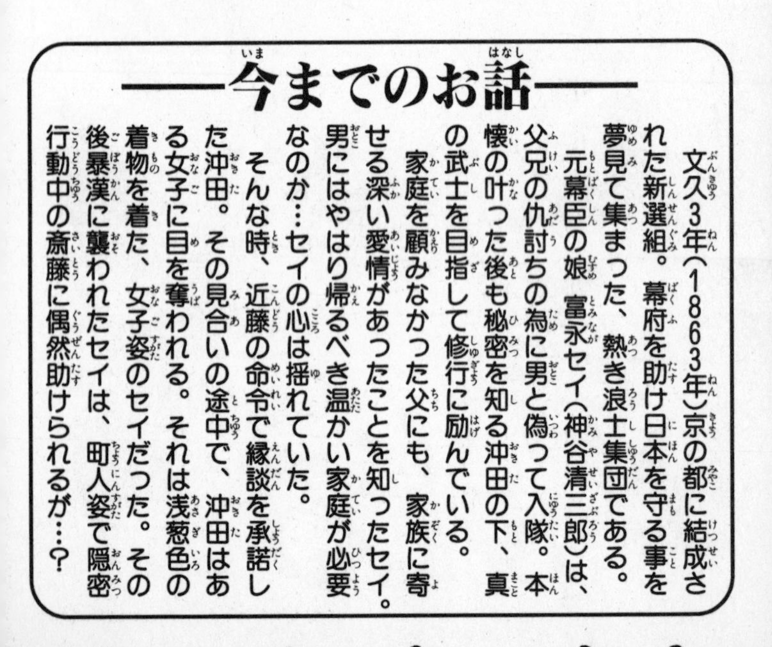

——今までのお話——

文久3年(1863年)京の都に結成された新選組。幕府を助け日本を守る事を夢見て集まった、熱き浪士集団である。

元幕臣の娘 富永セイ(神谷清三郎)は、父兄の仇討ちの為に男と偽って入隊。本懐の叶った後も秘密を知る沖田の下、真の武士を目指して修行に励んでいる。

家庭を顧みなかった父にも、家族に寄せる深い愛情があったことを知ったセイ。男にはやはり帰るべき温かい家庭が必要なのか…セイの心は揺れていた。

そんな時、近藤の命令で縁談を承諾した沖田。その見合いの途中で、沖田はある女子に目を奪われる。それは浅葱色の着物を着た、女子姿のセイだった。その後暴漢に襲われたセイは、町人姿で隠密行動中の斎藤に偶然助けられるが…?

——登場人物紹介——

沖田総司●新選組一番隊組長。天然理心流免許皆伝者。近藤、土方らとともに隊を支える。清三郎を厳しく温かく見守っている。

神谷清三郎●本名、富永セイ。密かに沖田を想い、沖田を守りたい一心から仇討ちを遂げた後も隊に残る。今では立派な一隊士に…？

近藤勇●新選組局長。天然理心流4代目宗家。熱い志を持ち、温厚な人柄で人望がある。

土方歳三●新選組副長。隊の指揮官として、自他ともに厳しい態度で臨む鬼副長。

伊東甲子太郎●新選組参謀。理論家で、その志は次第に隊の理念から離れていくことに。

斎藤一●新選組三番隊組長。清三郎の兄の友人。清三郎から兄のように慕われている。

何故そんな姿をしてるんだ 神谷…!?
どうしよう!!
「女子の恋心を断ち切る為」なんて言える訳もない
あ…
あの…っ
かあああ…
今度こそ女子だとバレるッ!?

…ああ…
今日は沖田さんの見合いの日か…
ちっ違いますっ!!
そんな事全然関係ありません私は…!
そんな変装をしてまでのぞきに行きたい程
気になってたまらなかったという訳だろう
今さら隠しても無駄だ
——…
変装…!!

本当は正装なんだけどっ・・
や…やっぱりですかあ!?
これなら誰にもバレないと思ったのにあはははは!!
そう思ってもらえるなら女子と疑われるよりずっといい!!
あっそれはもう大丈夫です!!
傷口もふさがったと南部医師も…
笑い事か
あんたは怪我で療養中のはずだったろう
んばっ
どっきゅんっ
ばっ馬鹿者!
そんな格好でそんな仕草をするから妙な輩に目をつけられるんだ!
すみません
いつものクセでつい
それにしても
斎藤先生こそどうしてそんな町人体のお姿を?
ぎくっ

言葉まで上方風にしたりして？
俺のは仕事だ（広い意味で）
監察方でもないのに変装を!?
大変ですねぇ斎藤先生位になるとお仕事にも色々あるんですね！
…特命による任務だ（広い意味で）
この事は口外無用に頼む
あっ私とおあいこですね！
調子に乗るなあんたのは私事だろう
ぷいっ
そっその通りです申し訳ありませんでした！

可愛いすぎるぞ神谷っっ!!
何故にそれで男なのだっ?
いや…
しょんぼり…。
で…その沖田さんの見合いのほうはどうだったんだ?
何も…
早々に沖田先生に見つかりそうになって
相手の女子さえ見られぬまま逃げ出して来ましたから…
――どうもわからんな
あんたにも妾はいるだろう
それでも沖田さんとの武士同士の絆に変わりはあるまい
今沖田さんが娶った所でそれも変わりはないんじゃないのか?

本当にそう思ってくださいますか!?
ぱあ
…うむ…
励ましてどうする斎藤一
「いっそすっかり女子になって俺の嫁に来い神谷」
沖田先生を信じればいいんだって…頭ではわかっているんですけど…
ありがとうございます斎藤先生!
どうせならそれ位の暴言を吐いて殴られるか斬られるかでもするほうがマシじゃないのか

……
――神谷
え…？
斎藤先生――…！
遅いじゃねえか総司！

いつまで相方を待たせる気…
あ?
すんまへん
沖田様はまだ…
どんな巨大なクソたれてんだよ奴あ!?
おいトシ…
それが…
必ず戻るからもう少しだけ待ってくださいって
伝えて欲しい言わはったきり
あっと言う間に外へ…
外へ!?
どないしたやろおセイちゃん

あれだけきれい
やったら いやでも
人目に立つと
思うけど
沖田先生の野暮天目は
本当に腐ってはるし
なあ…
ガラガラ
ごめん
ください
神谷さんは
いますか!?
沖田先生!?
お里さん
神谷さんは!?
え…って
あの…
いないん
ですね!?

じゃあ先刻見たのはやっぱり神谷さんだったんだ！
あんまり見事な変装だったから左足をかばって走るのを見るまで確信が持てなかったんですが
…変装？
知らばっくれても駄目ですよっ！どうせお里さんも手を貸したんでしょう？
足の傷に障るからって私は松本先生に見舞いさえ止められてたんですよ⁉
なのにフラフラ芝居見物に出るなんて
私を見るなり逃げ出す訳ですよまったく神谷さんと来た日には⁉
変装て…おセイちゃん女子や知ってて言う…⁉
…本気で言うてんのやろか この人…⁉
野暮天にもホドがあるし
とにかく捜して連れ戻します！
これでまた足を悪化させる事にでもなったら…
そんなんが理由どしたら いっそ捜さんといてください！

お里さん…？
たかが一部下の怪我やないどすか！
そんなんやったらもっと大事なご用事が今日はあるのと違いますのん？
え…嫌だなあどうしてご存知なんです？
実はそうなんですけど…
でもよく考えたらどうせ見合いは形だけのものだし
…！
縁談は受ける事にもう決めてあるんだから
だったら今は神谷さんのほうが大事かなって…
「己の感情を殺す事に沖田はあまりに長け過ぎている」
「あれは己が恋をしているその自覚さえ持てずにいるんだ俺はそいつが哀れでならねえ」

「力になってやってくれねえか お里さん
セイにも沖田にも」
「俺にはあの2人ともがどうにも愛しくて敵わねえのさ」
本当…可愛らし過ぎて腹立つ位どすな
つまりはおセイちゃんが何より大事て
なんで気いつかへんのやろ?
期待ど～りの反応してくれはるのになぁ
神谷さーん
──近藤さん

今日屯所へ戻ったら総司の手足を縛りつけて風呂で煮るつもりだが構わねえだろうな？
笑顔で言うなよ トシ 余計に怖い
ったってとりあえず笑っとくしかねえだろう！
俺たちが取り乱せば相手は余計不安になるんだ
どないしたんや沖田はんは!?
もう半時も経つんやで!?
この縁組あんたは上手く運びてえんだろ？
だったら※一時でも半日でも総司が来るまで笑っててやるさ
待つ体さえも見合いの内かとあの娘が思ってくれりゃめっけもんだ
……

※およそ2時間。

斎藤先生――…!?
あんたはここを動くな
…!
――随分な話やなあ
俺の鼻はへし折っといて結局はただの横取りかいな
さっきの――!
手下まで連れてお礼参りとはご丁寧なこっちゃな

俺への気遣いなら無用やで
怪我増やさん内に早う帰り
むきーっ
なっ腹立つやろあの無表情!!
あの顔に少しは愛嬌ってもんを教え込んだれや!
へい坊っちゃん!
斎藤先生…!
丸腰であんな大勢を相手になんて無茶だ!

何か武器になる物を…
きーーっ なんて邪魔なんだ この袖 この裾っっ!!
あ 上手い!
一番腰の引けてる奴から あっと言う間に木刀を奪取
続いて一番強者と思しきを
倒せば一気に士気は下がる
流石は新選組三番隊組長
戦いに一分の無駄もない!

※まぬけ。愚鈍な者をののしる語。

からん
斎藤先生!?
やめて!
やめてください!!
私なんかの為に土下座なんてしないで!!
あーははは
ええ気味や!
お前達!
構う事あらへん
存分にお礼参りしたってや!!

その辺にしといて頂けませんか
沖…!?
へっ…
こっこっ
ここの女がどうなってもええんかいな

どうぞ
お好きに
抵抗する人間に
慣れぬ小刀で
どれ程の傷が
つけられるか
試してみればいい
その瞬間に
私はあなたを
確実に殺します
…ひっ…
ぶるぶる
ひいいいいっ
どん
止めてくれ
殺さんといて
くれえ——っ!!

ふわ…っ
お…沖田先生…？
良かったあ
無事で…
沖田先生…♡
はっ
ぶおっほん!!

さっ斎藤先生ありがとうございました
どうもすみません斎藤さん
神谷さんがまたご迷惑をおかけしたみたいで
別に
今のあんたの登場以上に迷惑なモノなんかこの世にねえよ!!
斎藤一心の声
これからが見せ場だったのに
まったく冗談じゃすみませんよ神谷さん!
斎藤さんまでこんな危険に巻き込んで
そも療養休暇中のはずのあなたがどうしてそんな格好で芝居小屋にいたのか説明しなさい!!
――…
ドキーン…
「沖田先生が好きだから」

それを知られたら私は隊にいられなくなる
…言えません
神谷さん!? どうして言えないいんです!
そんなやましい理由が…!
このクソ野暮天
イラッ
――沖田さん
!!
ぎくっ
あんた今はそれどころじゃないんじゃないのか？
あっ そうだ！先生 お見合いはどうしたんですか!?
なんで誰も彼も知ってるんですよ!? 土方さんがあんなに内緒にしてたものをっ
ツッ込む方向が違うだろう!!
知っていたから神谷が芝居小屋にいたのだと何故考えない!?

え？
斎藤先生っ!?
やめてください 何を言い出すんですかっ!?
もう教えてやればいい！
沖田さんの見合い相手を一目見たくて行ったんだと！
沖田さんがどんな風に応えるか
それを確かめたくて行ったんだと！
やめて
やめて
斎藤先生——!!
どうして神谷さんがそんな…？
それを知られたら 私は…!!

俺が頼んだからだ
!!
えええええっ斎藤さんがっ!?
後で原田さん達に売れば結構な酒代になる情報だからな
だが俺は他所に〝野暮用〟があった故
神谷に密偵を頼んだ次第だ
斎藤先生…!!
も〜〜〜〜勘弁してくださいよ〜〜〜〜っ
斎藤さんてば意外に好奇心旺盛なんだから

ありがとうございます兄上〜〜〜っ!!
きゃ〜
ふっ。
ここまで来たら一生気づくな野暮天。
斎藤一心の声
ぴく。
…
そんなにおびえなくても怒りませんよ!!
ベリっ
お。
いっちょまえにリンキか。
斎藤さんの頼みじゃ断れないのもわかりますけど足の傷も癒えない内に無茶をするのはやめてください!
あなたのそういう無鉄砲を見ると私の寿命が縮むんですから!
え…

まさか先生 そんな事の為に お見合いを 抜けて…!?
そうだ早く 戻らなきゃ! 相手方には まず土下座 ですよ もう
ああ近藤先生に なんて言って お詫びしよう
沖田先生 私の為に…!?
ああ それとっ
早くいつもの神谷さんに 戻ってください
その格好だと
きれい過ぎて なんだか落ち着き ませんから
——はい!!

「セイより清三郎でいて欲しい」
それが先生の望みなら
迷う事など何もない
すいません斎藤さん
その人 木屋町まで連行願いますっ
わかったから早く行け
さようならセイの私
今度こそきっぱりと私は清三郎に生まれ変わります
そんな清三郎の胸の内を知ってか知らずか…
遅れて申し訳ありませんでしたっ!!
嬉しい! 来てくれはったん――!

…それ…
どういう事どすか
沖田様…?
は?
この縁談には
亀裂が生じた
なっ
なんですかいな
その胸の白粉はっ!?
え?
あっ!!
神谷さん
の!?
やっぱり!
あのお武家風の
女子追っかけて
行かはったん
どすな!
どーもおかしい
思てましたわ!
こん娘待たして
あんたはんどこで
何を――
いえあの
それは…
わあぁん
申し訳ない
初音殿
これにはきっと
深い訳が…
風呂ゃで
決定。
いいえ
いいえ
きっとこれこそが
御縁言うもんや
思えてなりません

時に土方様にご新造様は？
おりませんが？
嬉しい…♡
…は？
そやかてお父様
土方様の笑顔を見続けてるうちに「ああ大人の魅力ってこんなん？」みたいな…♡
初音お前な…
笑顔フェチか
近藤さん！総司！帰るぞ!!
翌日帰営した清三郎に
早速セイの笑顔が戻ってしまった事は言うまでもない
フラれましたー

慶応元年(1865年)夏
京都 西本願寺
新選組本陣
近藤局長
土方副長
永らくの療養休暇
誠にありがとう
ございました!
神谷清三郎
本日より万全の
体調にて隊務に
復帰致します!!

江戸いろはかるた
涙の理由は
この先を
読めば
わかります
ゆ
油断大敵

うむ
4　5日の休暇など気に病む事はない
元気に戻ってくれれば何よりだ

なあ土方君？

別に異論はねえが

どうせ負傷するなら今度は豚とじゃなくて敵と闘ってして欲しいもんだな

おいトシ！

ぐっ

ごもっとも…

あはははは
今度ばかりは土方さんに一本！ですね
神谷さん♡

フラれ男は黙ってろ!!

きっ！

まだ怒ってるんだ土方さん…

ゆでたくせに…

ひりひり

そーゆー時代だったのです。
大体お前の腑甲斐なさはなんだ 総司!?
見合いで男の側がフラれるなんて話ぁ俺はついぞ聞いた事がねえぞ!!
わ〜んヤブヘビ〜
お先に失礼しまーす
ぷぷっ
…ずるいなあ清三郎
男になると決めたくせに
お見合いが破談になつたと聞けばすぐにまた夢を見る
「ずっとずっと一番傍で誰よりも先生を想っていたい」
こんな大欲張りにはいつかおっきな罰があたるんだろうなあ
ぷに。
お帰り!心配してたんだぞ
今度こそ本当に大丈夫なんだろうな!
おお神谷!
みんな!!

きゃあ 嬉しい〜〜〜♡
なんだか10年も離れてたみたいに懐かしい！
みんな会いたかったよ〜〜〜♡
うっ…!?
まっ…まあ当分は無理するなよ 神谷
隊務の事は俺らがいくらでも助けてやっから
うっ うん
お前は何より身体を大事に…
ありがとうございま…
じゃあなっ!!
す…？
ざっ
神谷…っ!!
微妙に女子度が増している!!
如心遷が進んでるのか…!?
つてかあまりにも可愛すぎるぜチクショー!!

どうしたんだろ
みんな…？
バタバタ
バタバタ
…え？
さっ
ウソ…ッ
今の——
中村五郎っ!?

どうしたんだよ
お前――
痩せた？
別人だぜ
顔つき
どこか
具合でも…
近寄らない
でくれ!!
なんでもない…
成長期なだけさ
ここ色々
考える事
あったし…
神谷の事
とかも…
ああごめん
心配かけて
足ならもう
大丈夫だから…
でも中村
やっぱり
変だよ
一度　松本医師に
診てもらったほうが…
俺に構う
なったら！
男だったくせに
優しくなんか
しないでくれ…！

神谷清三郎のバカヤローーッ!!
何勝手な事言ってんだよ!
だから俺は男だって最初から言ってたじゃないか
口すっぱくしてッ!!
までもあの中村五郎も漸くあきらめてくれたんだ
如心遷様々だなあ♡
この時点でセイのこの感慨に罪はない
しかし
事態は徐々に思いがけない方向へと波紋を広げるのである
逃げるな総司!!

あの医者の娘との話が破談になった事はまだいい！
だがお前の着物の白粉の主についちゃまだなんの弁明も聞かされてねえんだぜ俺たちゃあ!?
だからあ町でちょっとしたケンカに巻き込まれてえ
助けた女子の化粧が移ったって話なら聞き飽きてるぜ！だからその女子は誰なんだって聞いてんだ!!
知らない娘さんですってば〜〜
嘘をつけっ!!
知りもしねえ女をなんで近藤さんに恥かかせてまで追いかけて行くんだよ!!
それは〜…
おいトシ！
そんな風に畳みかけられたら答えられるものも答えられなくなるだろう
わ〜ん近藤先生〜
恐らく総司は自分でも事態が呑み込めていないんだ
つまり

その浅葱の振袖の娘にお前は一目惚れしたんだろう総司?
え…?
なるほどそう聞けばいいのか…
さすが勝ちゃん…
そう…なんでしょうか…?
さぞかし別嬪さんだったんだろうな?
ええそれは…
ちょっとびっくりする位本当に綺麗でした
そう思った挙句に我知らず後ついてっちまうマネまでしといて
「そうなんでしょうか」はねえだろう総司!!
そういうのを世間じゃ"恋"って言うんだよ!!

そうですかー…
ホントはちょっと事情が違うんだけど
まあいいか…
で名前は？素性は？
ポ…
聞き忘れました
このクソたわけッ!!
クソたわけまで言いますかっ!?
自分だってお見合い破談にした事あるクセにっ
お琴の話ならこっちから振ったんだッ!!
てめえと一緒にすんじゃねえ!!
お琴さんを振った!?
許嫁として置いて来たんじゃなかったのか トシ？
許嫁…!?

知らなかった…
土方君にそんな女があったなんて…
そんな事 僕には一言も…
嘘つきぃっ!!
ややこしい反応をしないで頂きたい伊東参謀!!
そも私に許嫁があろうがなかろうがあなたには一切関わりのない事です!
相変わらず可愛いなあ 土方君♡
僕にわからないとでも思っているのかい?

お琴さんとやらを振ったのは僕の所為なのだろう?
ちゃき
……
…近藤局長
洋式調練の方式について再考してみたのですが
取り込み中の様なのでまた出直すと致しましょう
では
お気遣いかたじけない伊東さん
くすっ…
照れ屋さんなんだから♡

トシッ おさえろっ 局内の私闘は切腹だぞっ！
俺が殺りてえのは参謀じゃねえ！ ヤツの脳にわいてる虫だけだッ!!
うふふー♥
でも死ぬしっ!!
眼福…♡ 久々に至近距離で花の顔を拝んでしまった…♡
それよりもトシ お琴さんの件だ！
振ったって お前 いつそんな事になったんだ？
見合いの後急に上洛が決まったから祝言を先送りにしたってだけの話じゃなかったのか？

※当時長男以外の男子は養子に出るのが出世の道で、それの叶わぬ者は生涯独身でいる事も多かった。

えっ 直接本人に!?
なっ 泣かれたろ!?
お父上にじゃなく!?
いや…
「お身体をお大切に」って気丈に送り出してくれたよ
惜しい女だったとあの時だけは流石に思ったが…
ー
すまんトシ…!!
俺がお前を引きずって来ちまったばっかりに…!
ばっ
なっ 何言い出しやがる! 別にあんたの為じゃねえよ

武士になるのはガキの頃からの俺の夢だ
百姓の分際でそんな事本気で考える馬鹿なんざ他にはいめえと思っていたら
何故か俺の半歩先をいつも歩いてやがる馬鹿がいて
それが近藤勇だったってだけのこった
別にあんたを追って来た訳じゃねえ
自惚れてんじゃねえよ
トシ…!
ありがとう!
お前って本当にいい男だなあ!!
なっなんで「ありがとう」なんだよ!
ちゃんと聞いてんのか人の話!?
うんうんわかってる!
だから…っ!!
……

何ニヤニヤ見てんだ総司!!
もう用はねえさっさと出てけ!!
ハイハイお邪魔様でした♡
「あんたを追って来た訳じゃねえ」
「自惚れてんじゃねえよ」
土方君一流の照れ隠しである事は歴然
——あれが
彼は心底近藤勇という男に惚れているのだろう

何故だっ!?
僕のほうが余程美しく文武にも秀でているというのに!!
そして土方君への想いの熱さは誰にも負けない自信もあるのに!!
何故彼は近藤局長より僕を選ぼうとしないのだ!?
恐らく後半部分が主な理由かと
ナニッ!? 僕の愛のどこが不満だッ!?
〝不満〟というより〝不要〟なのでは
納得できんっ!!
近藤など近頃では異国カブレの蘭方医に親炙し
今にも「開国こそ是なり」とでも言い出さんばかりじゃないか!

いくら将軍家茂公の御侍医だからとてああも単純に傾倒する様では己の考えがないのも同然だ!
実際しくじりましたね
甲子太郎さん
松本法眼の立場には
あなたが立ちたかったのではないですか
…内海
お前は本っ当〜に可愛くないぞ!!
やはり私では三郎さんの代わりになりませんか
何故ここであの肉塊の話が出て来るのだ!?
珍しいからですよ
兄上〜
甲子太郎さんが酒で愚痴るなど

三郎さんの九番隊が大坂派遣になって久しぃですからね
なんだかんだ毎日三郎さんを怒鳴る事があなたの良い気晴らしにもなっていたのではと…
あくっ
黙れ内海!
お前のおしゃべりは酒がまずくなる!!
どちらへ?
小用だ! ついて来るなよ!!
まったく…!!
僕のこの小鳩の様に傷つきやすい胸の内が内海の如き鉄面皮にわかってたまるかっ
ん…?

こくっ
こくっ
…どこかで見た顔だが…
もし！君！
こんな所で眠ってはいけないよ！
う…ん 神谷く…
…
神谷？
清三郎の事か？
はっ
えっ⁉

こっ これは
伊東参謀!!
申し訳ありません
とんだご無礼を!
ああ 君は確か
中村五郎君だね!
僕が出向いた江戸での
徴募で入隊した
少し見ぬ間に
すっかり大人びて
見違えたよ!
恐縮です!
まだまだ
未熟者に
ございます!
君のお仲間は
どの部屋だね
送って行こう
いえ 俺
ひとりです
有り金はたいて
豪遊でもすれば
憂さが晴れるかと
思ったんですが
ははは
君の如き前途
洋々の若者に
どんな憂さが
あると言う
んだい?
僕でよければ
話を聞くが
めっ 滅相も
ない!!
参謀のお手を
煩わせる訳
には…

うっ！
おっと！
とにかく君の部屋に行こう
少し横になったほうがいい
あれ中村はん!?
君たちはもういい
枕と何か掛ける物を
すみません参謀…
俺…
俺――
神谷清三郎に
若さ故の悩みか…
恋をしているのだね？

違います！
そんなはずは…
俺が男に恋をするなんて
絶対あり得ないしあっちゃいけないいんです!!
何故そんな風に思うのかな
衆道は畜生類にはあり得ない
人が人たればこそ男が男たればこその貴い繋がりだというのに
でも畜生にも飢えた挙句の〝共食い〟はあるじゃないスか？
そんなものと一緒にするなっ!!
君は衆道を愚弄するつもりかっ!?
だって俺にはそうとしか思えなかった！
3年前道場の兄弟子に無理矢理押し倒された時
怖くて…あんまり気持ち悪くて…

思わず兄弟子の××蹴り潰して再起不能にしちゃったんスよ俺〜〜〜〜〜〜っ!!
そんな俺がなんで今さら男に恋なんかできるんですか〜〜〜〜〜〜!!
うわあん
う〜んそれはイタイ…
何故気づかなかったろう
中村五郎
なかなか可愛いではないか…♡
…中村君
君は"衆道"と"男色"を混同してしまっているよ
衆道とは相手への敬愛と慈しみの心がなければ成り立たぬものだ
しかし君の兄弟子が求めたのは単なる男色
君への高潔な想いがあれば決して無理矢理になどという行為には及ばなかったはずなのだからね

君の神谷君への想いは神聖なものだよ
決して恥じ入る事ではない
本当にそうなんでしょうか⁉
俺…俺毎晩神谷の夢を見るんです
夢の中での俺はまるであの時の兄弟子と同じで…
だから怖くてたまらない
いつか自分も現実に神谷を襲ってしまうんじゃないかって…
毎日苦しくてたまらないんです！
こんな気持ちはどうしたらいいんですか？
教えてください伊東参謀！

いいとも
教えてあげよう
わあ♡
黒い隊服着るの初めてです！
今日の仕事は要人警護。
くるくる
やっぱり背筋が伸びますねえ
隊服を着ると！
神谷さん！
久々の仕事だからってはしゃがない！
あ…ああ
かわいすぎ…！

ホラ
衣紋が抜け気味ですよ
女子じゃないのだからきちんとしなさい！
はっはい！申し訳ありません!!
よし！男前！
ありがとうございます！
知ってるか？沖田先生が見合いしたって話…？
ああ破談になったって噂の？
それってさあ…
なんちゅ～か すっかりいちゃいちゃじゃん みたいな。
皆まで言うな あんな可愛いのが傍にいるなら誰だって嫁なんか欲しくねえだろう実際…
ってえとやっぱり…

デキてんのか
あの2人…
なんか清
浴びてる!?
"衆道の恋"という
見地からすれば
この2人の関係は
ひとつの理想型で
あると言えるだろう
…その評価に
ついては微妙だが
ちなみに
この時代
同性愛に対する
違和感や背徳感は
人々の間に一切ない
あるのはただ
趣味・嗜好の
問題のみである
…だからって…

甲子太郎さん
小用のついでに
この展開はあんまり
なんじゃありませんか？
帰りが遅いから捜しに来てみれば…
不粋な奴だな
内海
恋はどこに転がって
いるかわからないから
面白いんじゃないか♡
はっ
えっ!?
ここ!?
俺…っ!!
どうして
こんな事に!?
俺 神谷が
好きなのに!!
可愛いなあ
五郎…♡
それこそが
恋の不思議と
いうものさ♡
かくして
微妙な衆道カップルが
新たに一組誕生した
この成り行き
果たして
吉と出るか
凶と出るか

――で？
また新しい妓を身請けしたって話
本当なのか近藤さん？
…はは…
なんだもうバレたのか
江戸いろはかるた
め
目の上の瘤
ムクレた感じが似てたので描いてみました…♥
描くな!!
人面瘤かオレは

「バレたのか」じゃねえ———っ!!
ここは西六条新選組本陣
今の…
鬼副長?
土方さん?
あんたがどこの遊里でどんだけ大勢の馴染みを作ろうととやかく言う気はさらさらねえ!!
だがな身請けとなれば話は別だぜ!
それはあんたの持ち物になるんだからな!

ただでさえとっくに1人抱えてるってのに〜〜〜
それも間男付きで
安心しろトシ
今度のはそんなんじゃないんだ！
駒野と違って人気の芸妓でもなければ美人でもないから身請け代も安くて済んだし…
じゃあ何が嬉しくて身請けしたんだよそんな妓!?
とにかく気立てのいい妓なんだ！
親孝行で家の借金の為に身売りしたが最近 実家の父親が病がちだとかで
ホラ 俺も病の養父を江戸に置いて来てる境涯じゃないか
そんなんで泣かれたらつい助けてやりたい気分になっちまって…
だから心配ないんだ トシ
彼女は実家へ帰したし
今後 俺の負担になる事は…
あんたは馬鹿か!?

駒野を囲った話が流れてからこっち
あんたを利用して己も自由になろうと目論んでる妓が京中にどれだけいると思ってやがんだ!?
父親の病なんて嘘八百に決まってるだろう!!
え…
そう…なのか?
──知るか!
そうかもしれねえってだけの話だよ!!
悲しい目をすんなよチクショウ
そうか
だとしても別にいいさ
家に戻れて喜んでる事には違いないだろうから
──まったく…

どこまでお人好しなんだか！
裏事情はどうあれ惚れて身請けしたんだろうに
駒野の所へも近頃じゃとんとご無沙汰の様子じゃやねえか？
うん
実は駒野に子供ができてな
…！
どっちの子だ!?
確かめようもないだろう
駒野が俺の子だと言ってくれるんだから俺の子さ
この秋には生まれるらしい
なら余計通いつめそうなもんじゃねえか
男児だったらめっけもんだぜ！
うむ 本当にそうなんだ
…だが

その子がどんなにむこうの密男に似ていようとも
「近藤勇の子だ」と言い張らねばならない駒野の心情を思うと哀れでなあ
いっそこのまま身を引いて子供にも会わないままでいるほうが良いのではと思ったり…
どう思うトシ?
今さら俺に訊くな!
そも俺ぁ惚れた女を情夫コミで囲えるあんたの神経が謎なんだからよ
俺なら疾うに女と切れるか男を八つ裂きにしてるかのどっちかだぜ!
そういうものか…
してみるとやはり俺のは"恋"ではないのかもしれんなあ
…はあ!?

俺はくどかれるとすぐのぼせ上がっていい気になるが
我に返ればそれ程に執着して離したくない女もいない気がするんだ
恋というにはこう…“熱”の様なものが欠けているというか？
つまらん性分だなあ
誰かさんみたいに妓争って果たし合いとかやってみたいもんだよなあ…
やかましい!!ガキの頃の話を蒸し返すな!!
体質ってもんだろう
そういう男もたまにはいるさ
実は前科アリ。
……
なんだな…どんな修羅場が始まるかって鬼副長の怒声だったのに
ちょっと肩スカシ？
妓がらみのゴタゴタにはすっかり慣れっこのセイちゃん。
意外にも完全に局長にいなされている
不思議な人だなあ近藤局長って
弁舌じゃ絶対副長のほうが達者だと思うのに…

げげっ
沖田先生っ!!
やけに長い厠だと思っていれば…
どこで何をして来たんです!?
着がえもせずにっ
…だって…
局長が心配で…
そのお節介癖改めないと今に痛い目を見ますよ!
申し訳ありません以後努力致します♡
てへっ
可愛い顔しても駄目っ!!
大体あなたときた日には…!
沖田先生!
先生に宿所の修繕を頼まれたと申す大工が来ておりますが

大工？
へえ 沖田先生 毎度おおきに 大工の千吉どすー♡
や…!!
うぬっ 貴様勝手に…!
ひょー♡
えろう可愛らしい隊士さんがいてはりますなあ♡
ゾ
諸士調役兼監察 山崎烝!!
やあ すみません 頼んだ事をすっかり忘れてました
どうぞ 幹部棟です
おーきに～♥
そうだった
山崎さんの正体は隊内でさえ一部の人しか知らない極秘事項
隊士の素行調査も彼の仕事の内だから

そうそう
山口さん！
……神谷さんも一緒に
一番隊を集めて待機
していてください
じき巡察の時間
ですから
承知
しました！
ちっ
クギを刺さ
れたか…！
お妾さんネタの
続報かも
なのにぃ!!
——で
千吉さん
ざわ…
沖田先生の
空気が
変わった…？
吉

ざわ
ざわ
ざわ
「この者
倒幕派の一味にして
新選組の名を騙り
大坂市中にて
金策強談したる故
誅伐の上 梟首せる
ものなり――」
壬生浪の
仕業や
壬生浪の
――
なんと
野蛮な!!
それではまるで
土佐や長州の暗殺集団と
同じではないか!
その
指揮をしたのは
誰なんだ!?

大坂に派遣中の七番隊組長 谷三十郎先生です
谷さんか… 先達ても倒幕派に通じた文人を尋問中に責め殺して ひと悶着起こしたばかりだな 奴は
ほかにも米価をつり上げる米商人に値下げを強請したり
正義の思いからではあるのでしょうが総じてやり過ぎる癖がある様で 大坂市民の評判は最悪です
それを緩和する為に三木の一隊が派遣されたのだろう!?
我が弟ながらなんという役立たずだ!
いえ 三木先生は十分に健闘されています
人当たりの良い方なので商人達にも慕われてきていますし
このまま良い方向へ向かうかと思った矢先のこの事件で…

――よし
私が行こう!
局長!?
何も大将自らが出向く程の事じゃねえ
俺が行って谷さんに釘を刺して来りゃいいんだろう?
いや
それだけでは解決にならん
市民にも奉行所にも既に迷惑をかけているんだ
局長の私が行って詫びを入れるのが一番誠意がこもるだろう
地に落ちた新選組の風評を好転させるにはそれしかあるまい
どう思われますか伊東参謀?

近藤不在＝土方君とふたりきり♡
流石は局長！
賢明なお考えかと!!
うむ！そうとなったら善は急げだ今夜の三十石船で発とう！
──
沖田　そこにいるか
はい
局長の護衛として一番隊も同行しろ
今宵の内に伏見船場へ出る
承知！

三十石船は京・伏見と
大坂・八軒家を往来した
淀川舟運の貨客船である
川を下る
京〜大坂路では
夜半に舟出すれば
朝には大坂に到着する
至便の交通手段であった
わあい♡
大坂久しぶり！
相変わらず活気が
ありますねえ!!
神谷さん
遊山に来たんじゃ
ないんですから

やっぱり！局長警護のほかにも何か重要な役割を課せられているんですね　私たちは!?
余計な詮索もしない！
ただ礼儀正しく誠実な印象を市民に持ってもらえる様に振る舞ってくれれば十分です!!
近藤先生！まあ急なお知らせでびっくりしましたわ　舟旅お疲れさんでございました
やあ　京屋さん　またお世話になります
あの方は？
京屋忠兵衛さん　この八軒家の船宿のご主人ですよ
近藤先生とは上洛浪士隊の時からのおつきあいで　何かと新選組に便宜をはかってくださる支援者です
よかった…　大坂にもそんな味方がいるんですね

最初に出会ったのが近藤先生なら悪い印象を持つ人はまずいないと思うんですけどねえ
なにしろ新選組は個性派が揃っていますから…
谷三十郎先生…ですか…
ぼんやり
池田屋以前からいらっしゃる方なのに
正直あまり印象がないんですよね
大坂に駐在してる事が多いですから
ご出身は※備中松山なんですが大坂に暮らして久しい方なので適任だろうという事で
そうだったんですかあ
てっきり土方副長と気が合わないからとかだと思ってました!
この子スルドイ…
…ん?
どきどき

※現在の岡山県高梁市。

近藤勇や
壬生浪の親分やで
あれが新選組？
浅葱の隊服もうやめたんかいな
……
……あのーもし…
えっあっへっへえ？
局長のお知り合いの方ですか？
よかったらお取り次ぎ致しますが
新選組イメージアップキャンペーン中
めっ滅相な！
ただの通りすがりですわ！
神谷さん！

何をしているんです!?
あ 今 その人が…
あれ？
いなくなっちゃった？
どこかで会った人の様な気がしたんですけど…
それに近藤局長の事なんとも言えず優しい目で見てたんですよー
だからてっきりお知り合いかと…
…神谷さん
これは命令ですから心して聞きなさい
「京に戻るまで決して単独行動はとらない事」
「余計な興味も好奇心も持たない事」
それから「決して私の傍を離れない事」約束できますか？
どきんっ
え…っ
はっ はい！ もちろん!!

※"指切り"は遊女が相愛の男に嘘のない気持ちの証として小指を切って渡した事に始まる風俗。

すみません子供相手についい…
子供じゃありません！一番隊隊士神谷清三郎17歳です!!
申し訳ありませんでした谷先生！
フン
〝池田屋の阿修羅〟か
いつまでも童子の如きは見てくれだけではない様でござるな
!!
ムカッ
神谷さんっ
感じ悪〜〜〜〜!!
これ見よがしな武士言葉もカンに障る〜〜!!
土方さんと同じ事言うし…
ああいう人だったんですね谷三十郎先生って！

あの方は生まれながらの松山藩士
生粋の武士ですからね
武士言葉が一番馴染むんでしょう
生来の松山藩士がどうして新選組なんか入ったんですか？
お国のお仕事は？
「余計な興味を持たない」！約束ですよ？
びし！
！
しまったあ～!!
ついノセられてつまんないゆびきりを…!!
ふふふふふ…
さあいらっしゃい神谷さん
私の傍を離れない約束ですよ～～？
その項目に目がくらんだ私がバカだった
……

さっきの男
まだいる
やっぱり何か
物言いたげに
見えるんだけどなあ
町人体でも
ないし
かといって
二本差しでも
ない
?
一体何者
なんだろう?
わざわざのご足労
痛み入りまする
近藤局長
下拙にお話
ありと伺い
早速に馳せ
参じました
うむ
長の在坂 誠に
ご苦労でござる
貴殿の働きで
大坂の治安も
すっかり良くなったと
聞き及んでござる
恐れ
入ります
しかしですな
谷先生
とりあえず
つきあい口調。
が、もう
限界。

いかに隊名を騙った
罪人とはいえ
往来に首まで晒す
のはいかがかと…
これは異な事を
後続への戒めとして
これ以上の策は
ないと存じまするが
それはもちろん
そうなのだが…
これまでにも数度
我が隊では
同様の梟首を
行ってござるが
それにつき会津藩から
お咎めを受けた等の
話も聞いてござらぬ
何が問題なのか
ご説明願いたい
確かに
新選組には
血気にはやる
若者が多い
以前にはそうした振舞も
日常茶飯事だった事は
認めよう
だが今は参謀に
伊東甲子太郎殿を迎え
隊も変革しつつある
抵抗する相手を
斬るまでは
やむなしとして
それ以降の裁断は
ご公儀にお任せ
するのが我々本来の
立場かと思うが
どうだろう?

甘いですな
ムカ
ぎょっ
…!?
邪魔者を斬り
首を晒して反対勢力
への見せしめにする
これは倒幕派が
やり続けている
常套手段でござる
全員休憩って
言っといたのに
なんであなたが
ここにいるん
ですよっ!?
へへ～ん
ずっと傍にいる
って言ったの
先生じゃ
ないですか～
その罪深さを
思い知らせる為には
同じ手をなぞる以外
ないものと拙者は
考え申す!
しかし…
聞けば谷さん あなたは
米問屋や油問屋を連行して
高値を下げる様に強談し
果ては生晒しなどの
罰まで与えていると言う
ではありませんか
いくらなんでも
町人にその様な…
大坂の豪商がどれ程
腐っているか ご存知ない故
言われるのでござろう!

この不況下に遊里を借り切り
上白糖で築いた土俵で
裸の妓たちに相撲をとらせて
打ち興ずる！
そんな輩に何を手加減
せよと申される!?
下々の民の
苦しみを思えば
たとえ咎めを受けようとも
拙者に一抹の悔いもござらん!!
…谷先生…！
ご立派な
ご覚悟
近藤勇
感服致し
ました！

かっ感服しちゃっていいんですか局長は!?
しっ
谷先生があんなに弁の立つ方とは知りませんでした
むしろ土方副長が来るべきだったのでは…
大丈夫ですよォ
「大丈夫」って何を根拠に!?
確かに谷先生の言い分は一理ありますけど
やり方があまりにも乱暴すぎます!
このまま局長が引き下がったら新選組の面目は…!
大丈夫だと言っているでしょう

びく
私たちの信頼を近藤先生が一度でも裏切った事がありますか?
ね
…はい!
〝信じる力〟

※仕官して初めて正式の武士。現況の近藤は「武士扱いを受けている浪人(あぶれ者)」という、幕末独特の身分と言える。

沖田先生の傍で
その姿を見られたら
今はそれが
清三郎の小さな夢です
こつぜん。
…あれ？
沖田先生が
いなーいっ!?

沖田先生──っ!?
バカ清三郎!
傍を離れないとゆびきりまでしたのに
どこへ行くつもりだったんだろう 先生?
こんな慣れない土地じゃ行き先の見当もつかない
江戸いろはかるた
み 身から出た錆
きゃ── 兄上スキスキ──

どうしよう
沖田先生───っ!!
菓子屋
まいど お～きに～
いない…
心太売り
さ～ わからへん な～
いない…
甘味処
ぜんざい
だんご
お～きに－
いない…
どこにも いないっ!!
暑い し～～
どうし よう～～

あっ
!!
ばったり
今朝 船場へ来てた人だ!
…
ペコ
待っ 待ってください!!
堪忍しとくなはれ わてはなんも…
すみません 京屋さんはどちらの方角でしょうか!?

道…迷っちゃって…
ああ それやったら
ここずーっと行ったら大川にぶつかりまっさかい
川上に向かって歩いたらすぐ八軒家の船場ですわ
ありがとうございます! 助かりました!
それ胴ですか?
え いや…
万太郎先生――っ
万太郎先生 あてが壊した胴修理ったん?
おう 今取りに行って来たとこや
えかったあ!

どうも
こんなん相手に
道場やって
ますよって
ほな
急ぎまっさかい
さいなら
お侍はん！
うん
さよなら！
カワイイ♡
剣術の
師範かあ
穏やかそうな
外見なのに
意外な感じ…
つと
それどころじゃ
ないんだつた！
とりあえず
京屋に戻ら
なきゃあ！
もう
沖田先生も
戻ってるかも
しれないし…
おっ
神谷だ
やっと帰って
来たぞ！

すみません
沖田先生と
町へ出たら
すっかり
はぐれて…
先生なら
とっくに
戻って来たぜ
ホントですか!?
いつ頃!?
※小半時も
前かなー
はぐれた直後
じゃない!!
なんだぁ もー
すぐ帰って来れば
よかったー!!
で今は
どちらに?
また
出かけたよ
局長と
2人で
え!?
暫く護衛は自分
ひとりでいいから
俺らには七番隊と
合流して市中の様子を
見て来いってさ
ちなみに
「神谷が戻り次第
必ず俺らに同行
させろ」との
特命つき♡
?

※約30分。

ひょっとして私撒かれたの――!?
ふふふふ
傍にいられるもんならいてごらんなさ～い
ガ
ふふ…
今頃怒ってるだろうなぁ神谷さん
何をニヤニヤしてるんだ総司?
どうしてでしょうね神谷さんの事思い出すとつい笑えてきちゃうのは
神谷か確かに面白い子だからな

先達ても…
!
そこにいるのは どなたですか?
──谷です
ああ お待ちしていました!
どうも お久しぶりです 谷先生!
遅くなって 申し訳ありません

少しはマシな身なりで伺おうと思ったのですが…
ははは 普段のままで構わんよ
とにかく元気そうで何よりだ 万太郎君
この度は本当にありがとうございます！
兄の失策の為にわざわざ局長先生がご足労くださるなんて
恐縮の至りでございます！
おいおい弟の君までが〝失策〟と断じたのではいささか三十郎さんが気の毒じゃないか？
いえ…
兄のやり方は 明らかに越権行為です
それとわかっていて私にはどうしても止められない
子供の頃から私には本当に優しい良い兄でしたから
お察ししますよ
私も多分姉には一生逆らえません

※道場経営は入隊以前から。

山崎君が言っていたよ
此度の事で一番心を痛めているのは万太郎君だとね
兄は本当に悪い人ではないのです！
人一倍真面目で正義感に篤い不器用な人で…
それは重々承知しているよ
今日も早速訪ねて来てくれて話をした
つくづく立派な人物だと感銘を受けたよ
本当ですか！
ああありがとうございます！
ただ正直を言えば
武術の腕は君のほうが上だ
人柄も君のほうが慕われる質だし
今でも七番隊はできれば君に率いてもらいたいと思っているのだが…

いえ
それだけはご勘弁ください!
私は生涯兄を陰で支える事こそ本望ですので!
その決心は変わらず…か
わがままを言って申し訳ありません!!
万太郎さんと三十郎さんの役所を入れ換える案は却下…ですね
うーむ…
やはりもう あの手しかないか…
なんですか"あの手"って?
まだナイショ
九番隊出立します!

新選組大坂宿所
南下寺町万福寺
あ
三木先生!
やあ
一番隊か
君たちと入れ代わりに九番隊は京へ戻る事になったんだ
後の事はよろしく頼むよ
ハイ!! お務めご苦労様でした!!
どきん
神谷…!

そりゃ いつかの事は 僕が悪かったけど だからって何も そこまでロコツに イヤな顔しなくても…
〝いつかの事〟 ってのがなんだ ったのか 激しく 気になりますが それは置くとして
この顔は 違うんです 三木先生
こいつ 沖田先生に おいてきぼり食った ので 今グレてて
…三木先生?
お 覚醒した
神谷…
いつかは すまなかった 僕は本当に 酒には弱くて…
あ?
なんでしたっけ? もう忘れましたよ 毎日毎日色んな事が 起きるのに 嫌な事まで 憶えてられませんて!
お疲れ様っした
ますます男 らしいな神谷…
中身ばっかり…
有難いのに 一抹の寂しさを 感じるのは ナゼなんだろう…

ぎくっ
おぬしは
三木殿とも
懇意なのか
神谷?
どういう意味
でしょうか
谷先生?
何
沖田殿とも・・・・
特別に親しい
様子だった故
随分あちこちに
贔屓を持っている
のだなと思った
だけでござる
ムカ
神谷っ
ナニその
言い方!?
人を色子
みたいに!!

これより市中見廻りに参る！
七番隊は半数出動半数待機！
一番隊は二手に分かれ一隊は拙者の一隊は七番隊の引率に従って頂く！
おぬしは拙者の隊につけ　神谷
遊び半分でない巡察というものを教えて進ぜる
な…っ
神谷おさえろっ!!
沖田先生のいない時に問題起こすのはヤバイって！
俺も腹立つけどよォ
…うん
そうだねごめん
皆大人だなあ
谷三十郎
なんて嫌味な奴！
正義の弁舌にほんの少しでも感動した自分に腹が立つ!!

新選組や!
壬生浪の巡察やで
家ん中入っとき
何言いがかりつけられるかわからへん
町中の人たちがあからさまに表情から生気を失くす
皆怯えてる…と言うより
新選組を嫌い抜いてる——?

だけど何故？
新選組のお陰で
米や油の値が下がり
有難い面もある
はずなのに――
御用改めでござる！
家人を全て
そこへ集めよ！
何か変わった
事はござらぬか
へえ お陰さんで
なんもあらしまへん
その後 値は
変えておらぬ
だろうな？
へえ
もちろんで
ございます
あっ
うわ
ホントに
安…!!

…！
そこな女中何処へ参る!?
!!
はっ
待てと申すに!!
ひいいっ
かっ堪忍っ
谷先生!!暫く!!
なんだ神谷!?
行かせてあげてください！

何故だ!?
いいから
お行き!
怒鳴るのは
やめてください
店の者が
怯えるだけです
神谷 きさま
誰に向かって
口を…!
臑の血に
気づかれませんでしたか?
…女子の事情です
…!!
ズザーッ
神谷!!

それを装っただけかもしれぬだろう!!
だからきさまらは甘いと言うのだ!!
……!
女中!
戸を開けろ!開けぬか!!
ひいいい堪忍してください!
そこへ何を隠した!?
足を開け!!
いやああ

堪忍──っ…!
神谷っ!!
わあああああ
──フン
不審な行動さえとらねば恥をかかずにすんだものを
谷先生!
謝ってください!
あの娘に謝って!!
ううう…
たわけた事を申すなっ!!

これが新選組の職務でござろう!!
ご公儀に従わぬあの女中が悪いのだ!!
こんなのは
正義じゃない
お前なんかが〝ご公儀〟の名を騙るな
〝新選組〟を名乗るな!
穢らわしい独善者!!

あれっ神谷さん
どうしたんですかその顔？
……
局長！
やあ奇遇だな
一緒にひと休みして行きませんか？
身体中のドロドロしたものが全部
おーい？
全部一瞬にして澄んで流れた

ぷいっ
…!
ありゃ?
よく我慢したなあ神谷
てっきりワーッといくかと思ったのにな
そんなに怒ってました 私の事?
いえ それどころじゃなくてですねー
泣くもんか!
谷三十郎の前でなんて 絶対泣くもんか!!

ぐいっ
!
沖田先生？
なんですか ここ小便担桶…
ほかに日陰がないんですもん
ったって臭いじゃ…

痛かったでしょう
神谷さん
でも店の人たちはきっと
あなたの様な隊士もいる事を喜んだはずですよ
沖…
よく頑張りましたね
…せっかく
我慢してたのにいっ…!!
ぐす
ひーん…

――…
日陰も程良く伸びてきた
そろそろ出ましょうか谷先生
承知
あ 出ますか?
じゃあ一番隊はこちらで引き取らせてください谷先生
これから奉行所へ顔を出すのに警護が私だけでは格好がつきませんから
ポー
――沖田殿
神谷と2人でどこへ行っておられた?
連れションです♡

あー なーんか また衿が抜けてるなあ
えっ そうですか？

兄上
お呼びですか？
仕事だ
今 局長警護で下坂中の一番隊
その中の神谷清三郎を探れ
神谷ってあの女子の様な…？
然様
俺の勘ではあれはどこかの密偵だ
まさか…⁉
組長の沖田は既に骨抜きにされている
その上 九番隊の三木とも通じている様子
あれを野放しにすれば隊が危ない

大坂・八軒家
新選組御用達船宿
京屋忠兵衛
あはははははは
京屋
お多福――っっ!!
…そこまで笑いますか沖田先生…
江戸いろはかるた
し
知らぬが仏

だから昨日の内に冷やしておきなさいと言ったのに
「平気平気」って言う事きかなかったの神谷さんじゃないですか
自業自得ですよ
だからってそんなに笑わなくてもっ
ああでもちょっと
美味しそうですね
大福餅みたいで
大福っ!?
ぱくっ♡
美味しくなかった
ぜっ
贅沢を言うなっ!!
動揺のあまりリアクション意味不明。
なんかもう腹いっぱいだオレ…
朝っぱらから…
俺も…

という訳で神谷さんは今日一日宿で留守番をお願いします
どういう訳ですって!?
お祭りでもないのにそんなお面つけて歩いてたら町中の人に笑われちゃいますよ
だって「ずっと傍にいろ」って約束は…
そんなのとっくに昨日破ったじゃないですか あなたが
あれは沖田先生が…!
おや言い訳ですか?
「私が神谷さんの傍にいる」なんて約束は始めからしていませんよ?
やっぱり確信犯かい!!
針千本飲む代わりだと思ってその腫れがひくまでおとなしくしてなさい

そんな〜〜〜!!
じゃあな神谷！
何か土産買って来てやるよ！
めちゃくちゃカッコ悪い清三郎
ずーーーん
大坂まで来てなんのお役にも立てないなんて
寂しい〜〜っ
ごろごろ
ごろ
きゃっ
あ
ごろごろ

すっ
すんまへん!!
お出かけになったとばっかり…
掃除っ!?
手伝わせてください!!
めっ滅相な!
旦那はんにしかられますよって!
見つかったら私から話すよ
退屈で退屈でしかたなかったんだ
お願い!!
新選組で借りてる部屋は私が全部掃除するから
ほかの人にも手を出すなって言っといて!
わーい
わーい
仕事ができたー♡
すぱん
すぱん
すぱん
あーもー
皆だらしないんだからなぁ♡

汗をかいた着物は風に当てないとね
てきぱき
てきぱき
行李のフタ位閉めてけっての不用心だなぁ
てきぱき
布団も干しとこうせっかくのお天気だし
フ～～…
気持ちい～～…♡
残るは局長と沖田先生の部屋…
流石にちゃんとしてるな
沖田先生局長の前では優等生だから
がっ
あっと！
近藤局長こんな所まで手習いの道具持って来てる
ホントに勉強熱心な方だなぁ…
…！

誰ですか?
ぎくっ
!!
全員出かけたんじゃなかったのか?
留守の間に探れるものがあるかと思ったのに
よりによって何故神谷清三郎が!?
すっすんまへん人がいてるとは知らず不躾にのぞき見たりしてもうて
別にいいですよォ
それよりどうして京屋に?
あれぇ!?あなた昨日の…
確か"万太郎先生"!!
へっへぇ
遠方から来る知人に宿探し頼まれまして

向こうの部屋を見せてもろてたんです
そやけどこっち側のが見晴らしがええなあ思てつい…
奇遇ですねぇ
こんなに短い間に3度もお会いするなんて！
私は一番隊隊士神谷清三郎と申します
いつまで大坂にいられるかわかりませんけど一度 万太郎先生の道場でも ご指南頂きたいな♡
せっ 先生やなんて滅相な！
万太郎でええです どうぞ
どうぞー見晴しいいですよ～
それにしても…そのほっかむりは一体…？
あはははは顔に湿布してるんです
昨日ちょっとヘマやっちゃって…
コレの所為で今日は留守番
…殴られはったんですか…？
嫌だなぁ わかりますか？
ちょっと上司を怒らせちゃって

兄上か?
酷い事を…
いえ!
感情にまかせて
頭より先に身体
動かしちゃう
私が未熟なんです
同じ事言うのでも
もう少し言い方を
考えればよかった
のに…
神谷はん…
お若いのに
できたお人やなあ…
なーんてっ!
ホントは
ついさっきまで
カッカ来まくってて
とてもそんな風には
思えなかったん
ですけどねっ
掃除してたら
突然悟りました!
置いてけぼり
食ったのは
「頭を冷やせ」
って沖田先生の
思いやりだった
んだなあって
…掃除から
何故そこへ?

お陰で近藤局長の手文庫に気づけたので
局長って毎日※一時も手習いをなさるんですよ
文字には人間が表れるものだとおっしゃって
そして同時に心を鎮め己を反省する効果もあると
そうした謙虚さが自分に欠けていた事に掃除をしていなければ気づかなかったと思うから…
沖田先生にも近藤先生にも感謝です♡
ぱんぱん♡
「神谷はどこかの密偵だ」

※およそ2時間。

局長の手文庫を
探っていた行動を
上手くごまかしたと
取れなくもない
あれがすべて
芝居だとすれば
神谷は相当
手練の間者
だと言えるが
あの澄んだ瞳が
まやかしだとは
思いたくないな
だからお前は
甘いと言うのだ!!
兄上
声が…
局長の手文庫を
探っていたなら
もう疑う余地も
ないではないか!
いえ
探っていたのか
どうかは
わかりません
ただ手に
取っていたと
いうだけで
フタは!?
開いていた
のだろう!?

…開いていました
――神谷は今
宿にひとりなのだな？
兄上
何を…!?
話をする
だけだ
お前は
もう戻れ
あの…でも
乱暴な事
だけは…
お前まで神谷に
惑わされたのか
万太郎!!
兄上…!

――〝じ〟…
じ…
じじい…じゃつまんないな
地獄へ行け…とか
痔持ちじじいもいいかも…
じ〜…
――ひとりで何をしている 神谷?

たっ
谷先生!?
ぐしゃっ
きよ…
局長を見習って
手習いを…
ならば
何故隠す?
え?
なんの事で…
今袖の中へ
隠した物が
あるだろう!!
それを見せろと
申している!!
袖?
になんて
何も…

腹へ回したな！
ごまかしても無駄だ!!
何をなさるんです
やめてください!!
真にやましい物がないなら 今すぐ着物をすべて脱いでみろ!!
それができぬと申すなら
己は密偵だと白状する様なものだ！
密偵!?
なんでそうなるんですか!?
問答無用だ
脱げ!!
嫌です！
あなたは同志の事まで疑うんですか!?
同志？
その証がどこにある！
真の同志なら潔く脱いで身の潔白を証明したらどうなのだ!!

……
この人は
疑う事に
取り憑かれている
〝如心遷〟の身故
…で通る
相手じゃない
あの女中の様に
執拗に身体を
探ろうとするだろう
脱げば
本物の女子だと
知られるのは必至
どうする
清三郎
――!?

「お侍様 落とし物です」
「えっ？あっ」
『万太郎さん？』
カミヤ
キケン
スグ
神谷さん!!

はっ
お帰りなさいませ――
あ…あれ?
谷先生?
――…
大した配下をお持ちでござるな沖田殿!!

神谷さん…？
神谷さん!!
――…
あれ…？沖田先生お早いお帰りで…
何があったんです？
今 谷先生がすごい形相で…！
えへへ…また お目玉食らっちゃいましたあ
イテテ
かくかくしかじか手習いのついでに落書きしてたのを見咎められ…
落書き？

谷の"た"はタヌキ親父の"た"
谷の"に"は憎たらしいの"に"
ぷーはははは
三十郎の"さ"は最低の"さ"
三十郎の"ん"はうんこの"ん"
書き上げて焚付けにでもすれば明日は笑って会えるかなと私なりの善後策で…
でも気を悪くするだろうと思って隠したのをまさか密偵と疑われるなんて思ってもみませんでした
密偵!? 神谷さんが?
それで万太郎さん…
有り得ませんよねこんなマヌケな人間に
あははー
ねえ♡
「ねえ」言うな

でも なんだか少し 谷先生が気の毒になりました

あんなに他人を疑ってばかりいるのって 苦しくないのかな

谷先生に 心から信じられる人はいるんでしょうか?

……

…昔ね 故郷で辛い事があったんですよ

備中松山の藩士だった頃 谷先生は持ち前の正義感から さる同僚の不正に忠告をしたんです

でも その同僚は聞き入れる所か ひどい口論となり 挙句には刀を抜いての争いになってしまった

※武士の場合は身分を剥奪され家屋敷を没収された上に追放となる。追放区域の範囲はケース・バイ・ケース。

谷先生
だから誰も
信じられなく
なって…
さ
これで
この話は
おしまいです
すぐに忘れて
くださいね
各隊士の細かな
履歴なんて
当然幹部内の
秘密なのだろう
それなのに
話してくれた
私を
信じて
くれたんだ
沖田先生
すっごく
すっごく
すっごく
嬉しいっ!!

もーっ信用された以上は絶つ対 谷先生とも上手くやってやるっ!!
おはようございます谷先生!
本日も勉強させて頂きます!
む?
巡察に参るぞ!
お供致します!
天晴だな神谷は初日からガツンとやられたってのに物怖じもせず
ふふっ
あの人が少しでも谷先生の心を安らげてくれると有難いんですけどね

ああ
あの話を聞いたらがっかりするだろうからなあ
貧困に苦しむ市民の為と信じてやってきた事だけに…
辛いお役目ですね
近藤先生も
なあに
〝新選組〟のした事はすべて局長の責任だ
尻ぬぐいも立派な局長の仕事さ
神谷は必ずや何かを企んでいる!!

兄上!?
結局密偵の証も立てられなかったのにまだ神谷を?
今思えばあの書付は密書とすり換えた物だったかも知れん!
そんな無茶な…
ならばどう説明をつける!?
疑われていると知った途端 俺に取り入ろうとするあの豹変ぶり!
身にやましい所がないのなら むしろ腹を立てるのが道理ではないか!!
でも兄上…
とにかく気を緩めるな万太郎!
この先も神谷の事は探り続けるのだ
よいな!!

※京の島原・江戸の吉原と並ぶ大坂の遊里のひとつ。揚屋は格式のある高級料亭。

はっ
…はい
何かあるんだ…!?
つぶれた神谷さんをおぶって帰るの嫌ですからね
そんな理由っ!?
あはははは
楽しみですねえ揚屋さんで宴会なんて本当に久しぶりだ♡
――フン

局長もどういうつもりやら
神谷の正体を疑いもせず
――呑気に酒宴など
――新選組か
む!?
天誅じゃあっ!!

ぴく
総司？
神谷さんは局長とそこにいてください！
わ
橋の上！
斬り合いです!!
え…っ
組長に続け！
七番隊が襲われてる!!
!!

あつ!?
谷先生
助太刀致します!!
沖田殿っ

危ない兄上!!
ドッ
兄…!?
「兄上」ってあれは―
万太郎さん!?
―あ…!

思い出した!! 池田屋で槍を揮ってた!!
副長の隊で闘ってた人だ!?
そう
あの時は丁度探索の仕事で京へ来ていてね
近藤局長!?
バレたのなら仕方がない
谷万太郎
彼も実は同志のひとりだ
公には剣・槍術の道場主だが
七番隊組長谷三十郎先生の実弟でもある
嘘っ!!
全然似てな…!!
イヤシ系
イアツ系
って局長!?
ここにいろと沖田先生が…!
見逃してくれ神谷君
同志の危機におとなしく見物なんかしてられるものか!

見逃せません!!
お供致します!!
あっはっは!
君は本当に面白いな!
死ねえっ谷三十郎っ!!
ぎゃあああっ
名指しで来ますか
かっかたじけない沖田殿
有名人ですね谷先生

沖田先生！
浪士の中には町人も混じっています！
それじゃあ無闇に斬れませんね
一層新選組の評判が──
双方静まれっ!!
ビクッ
拙者は新選組局長 近藤勇!!
何故の襲撃であるか
話あらば聞こう!!
首謀者は前へ出ろ!!

なんという大音声
腹の底まで響き渡る
真実の勇者の声
──ちっ 助っ人が増え過ぎだ
ひとまず退け!
わっ
何をしている追え!!
絶対にひとりも逃がすな!

深追いは無用だ谷さん！
その先には新町がある
遊里に斬り合いを持ち込めば民衆にどんな迷惑をかけるか──
奸賊どもを捕える事こそ市民の為でござろう!!
騒ぐなどけどけっ!!
待たぬか奸賊輩っ

――いかん！
邪魔だ！散れっ！
道を開けろ！
太夫アカン！こっちへ！
開けろと申すに逆らうかっ!!

ギ
頭を冷やせ
谷三十郎!!
罪もない妓を斬ってまで
賊を捕えて　なんの
意味があるっ!!
はっ
――局長…!
ガラララ…

ゴロン…
!
ゴロン…
ガララ…
ガララ…
ゴロン
なんという妓だ…
この騒ぎに歩みさえ乱さず

ぶっ無礼な……！
兄上!!もう止めてください!!
万太郎!?
兄上の求めるものが常に正義である事はわかります！
けれど兄上の正義が必ずしも民の幸福に繋がるとは限らないのです！
……っ弟の分際で何を――！
そうです"弟"です！
ずっと小さい頃から妾腹の私を兄上だけは少しも見下す事なく可愛がってくださった
「生まれた子になんの罪がある」と陰口をきく親類たちに兄上が一喝してくださったのも知っています
！

あの時　私は生涯をこの兄の為に　生きようと誓いました
兄上…
故郷を追われた時にさえ
正義を貫いた兄上を私は誇らしく思っていました
それなのに兄上は私に「すまない」とそればかりで
「少しも気にしていません」という私の言葉さえ
信じてくれなくなってしまった
近藤局長！
兄が功をあせるのは私の為なんです
谷の姓に少しでも早く正式な武士身分を取り戻してやりたいと…
なっ…
馬鹿を申すな誰がお前の為になど――

いいえ！
兄上はそういう方です
幼い頃から一度も私はその信頼を裏切られた事はありません！
万…！
殺すんなら殺したらええ！
絶対谷の所へ化けて出てヤツを取り殺したるさかいっ!!
すみません沖田先生
捕縛した一味のひとりがどうしても谷先生に言いたい事があると…
あれ？あの人…

先達ての米屋の手代さん?
聞けっ谷三十郎!! どうせお前はなんもわかってへんのやろ!
お前が問屋威して無茶な値下げさせるさかい 産地が米を売り渋る様になってどんどん大坂から米が消えてんのやで!
物価を下げた英雄気どりで 売る米無くして何が民の為や!
え…
哀れな女子辱めてまで何を守ってるつもりや このアホんだら!!
…それは
真実か…!?

この期に及んで
嘘なんかつくかいっ!!
ならば何故
もっと早く
言わなかった
のだ!?
そんな事と
知っていれば
――
…!
お前には
見えていたのか
万太郎!?
兄上!
知っていて 兄の失策を
陰で笑っていたのか!?
兄上…!
いい加減に
しやがれこの
朴念仁ッ!!
かっ
神谷さんっ
いいえ
殴られたって
言わせて
もらいます!!
こんな優しい
万太郎さんが
先生を傷つけたく
ないって以外に
どんな理由があって
黙ってたと思うん
ですか 谷先生っ!?

信じてあげてください！
ほかの誰を拒んでもいいから
こんなに信じてくれてる人を信じ返せないなんて
そんなのただの臆病者ですよっ!!
――……！
申し訳ありません兄上！
諫言できなかったのは 私の弱さです
勇気のない弟を如何様にもお叱りください！
――それでも
俺よりは勇気があるな
こんな兄をずっと信じ続けてくれたのだから…

すまなかった
万太郎…
兄上…!!
よかつた
万太郎さん…
なんだか
とんだ宴会に
なってしまったなあ
いいえ
局長
程よい運動の後で
一層美味しいお酒に
なるってものですよ!
神谷の
言う通り!

そうだな
かえって
大坂撤退の
いい区切りにも
なるというものか
撤退!?
大坂屯所を
ですか!?
うむ
「新選組憎し」で
町人までが浪士に
加担する様になっては
いっそそれしか
ないだろう
拙者の失策故に
申し訳ない!!
この上は潔く腹
かっさばいて…!
兄上っ!!
誤解されては
困りますよ
谷先生!
隊を退くのは
大坂の現況を見て
今は京の守りのほうが
重要と判断したのが
第一の理由です
それに…

あなたの仕事ぶりにはとても大切な事を教わりました
「汚名を恐れず正義を貫く勇気」という
局長…
無論行き過ぎは重々反省すべきとしても
真に民を思う先生のお心に触れて私はいつの間にか隊の体裁や面目にばかり気の行っていた己に気づかされました
度々御用金の徴収を行っている大坂で新選組の評判など元々いいはずもなかったのに
そんな割の悪い役所を厭いもせず先生は進んで勤め上げてくださった
そういえばそうか…
すごく大変だったんだ谷先生も…
その滅私の精神と功労には心から感謝していますよ谷先生

なんと有難きお言葉…
谷三十郎 生涯の宝として以後も隊務に尽くしまする!
それでは皆さん 改めて谷先生方の 功労を称えて 乾杯!
カンパーーイ!
夜風は漸う秋の色
うおーーっ
飲むぞーーっ

涼やかな季節に変わる頃――
それにしても新選組の名誉挽回の秘策が〝撤退〟だなんて
局長でなきゃ思いつかないド真ン中発想ですよねー♡
しかも誰ひとり傷つける事なくですからねー♡
流石は…
じ…
なっなんですか？
なんですかね本当に
最近変ですよ神谷さん
以前からこんなに衿の抜ける人でしたっけ？
姿勢や体型によって抜けやすい人。いるんです。
ぎゅう
またですか？
新しい隊服が大きく過ぎるんでしょうか
ぎゅう

う――ん?
―――
いつになったら気づくのかね沖田先生は…
神谷の衿が抜・け・て・見・えるのはヤツがそれだけ女っぽくなって来ちまってる所為だって
どっちみちイチャイチャだからいいんじゃねえ?
気づかんでも
おっと可愛い禿さん手水はどこかな?
あっち!
そうかありがとう
―――先程はおおきに

えっ？
あ
翌日
大坂新選組は
京へ帰陣
この後に
実る果実の
誰ぞ知る
〈風光る〉⑰＊おわり＊

注・江戸時代は250年以上あり、その中で多少変化もしているので、「風光る」の時代・江戸後期限定でお答え下さい。

どもっ まるこ教授です！
今日はちょいとこむずかしいネタかも？ ですが新選組をより深く正しく理解する上ですーんごっく大切な事なので敢えてやらせて頂きます
〝武士身分〟について！
早速答合わせ行こう！
①に該当する人物は「風光る」の中では…
ハイッ!! 近藤勇先生っ!!
試衛館道場の当主ですっ!!
先代は周斎先生 FC⑧巻参照!!
おお よくできたね 総司♡
そう
ふだんは着流し。
PRまで
「風光る」の設定同様実際の彼らも武士ではありません
答は「×」です
周斎さんも酒造兼業農家の出。
近藤姓が公式に許されていたかどうかも謎。
続いて②に該当するのは…
ハイッ 近藤勇先生ですっ!!

天然理心流4代目宗家!!
3代目は養父の周斎先生!FC⑧巻参照!!
うむよくできましたその通り
ホレ褒美じゃ
これも①同様答は「×」!
どんーなに剣術に長けていようとそれだけで"武士身分"にはなれません
大小を差して歩く資格もないのです
おいしいエサ成犬用
えーでも上洛前の近藤先生達が二本差して人を斬ってるドラマや小説って山のよーにありません?
マンガなんて言うに及ばず!
まんが新
そーなのよセイちゃん
だから誤解してる人も多いと思うんだけどあれらはみんなフィクションなのよね
元々武士以外の者は剣術を習う事さえ禁止事項でしたから
世情が物騒になりそれが自衛手段として幕府のお目こぼしを受ける時代になっていたとはいえ
バレなきゃいーんだろ。
堂々!
調子に乗って二本まで差したとバレればそれだけで捕えられて罰を受けました
さすがのトシもそこまで恐れしらずではなかったと思う
殺傷なんてもっての外!

続いて③！
〝浪人〟と呼ばれる者については…
ど
んぱ
ハイハイッ!!
近藤勇先生ッ!!
上洛時の名簿「尽忠報告勇士姓名録」に「府内浪人」と記されてますッ!!
おっ知ってるねー総ちゃん
…………
そうなんです
「武州多摩郡石田村」とのみ記された農民のトシに比べて
近藤さんが「江戸府内在住の浪人」と記されている事は大きな注目点といえます
さて〝浪人〟といえば一般的に「仕官先を失った武士身分の者」をさすので
そこから「近藤勇の身分は浪人即ち武士である」と思い込んでしまいがちなのですが
歴史学的に考証すると〝浪人〟にはもうひとつ
「士農工商の分類に属さないあぶれ者」の意味もある事がわかってきます
〝浪人〟とは本来このあぶれ者を意味したもので
仕官していない武士の意味では〝牢人〟の表記が正しいとする歴史家の先生もおられます
この知識の上に立ってもう一度浪士隊名簿を見直すと…
K先生その節はありがとうございましたッ♥
すごく高い
新選
資料

総司については「阿部播磨守元家来当時浪人」と
意外にリクエストの多い
月代 総ちゃん
同じ〝浪人〟でも主家の名が併記されていて何家の禄から離れた者であるかが明らかにしてありました
阿部家の家臣のままだったらこんな？
つまりこの「主家を明記していない浪人」は「失う主家が元々ない浪人」
即ちあぶれ者の意味の〝浪人〟である事がわかるんですね
…という訳で③の答も「×」が正解です！
ナゼか昨年になって熱烈なリクエストが来た
山南さん
その人も史実では「松平陸奥守元家来当時浪人」
ちなみに武士身分の浪人が再仕官できないまま武士を名乗れるのはせいぜい孫の代までだそうで「大学受験も三浪が限界」みたいなのにちょっと似ているなと思ったり（笑）
続いて④！「名字帯刀を許されていれば武士？」
実はこれも答は「×」です！
名字帯刀御免は〝身分〟というより〝待遇〟で特に功労のあった…
といってもそれは表向きで実際には多額の献金をした者が多かったそうですが（笑）
そうした庶民にご褒美として与えられるものでした

「風光る」でいえば原田さんとこのおまささんの実家がそれだ！
そうそう
名字帯刀でも商売の呉服屋に変わりはなかったでしょ？
特に幕末は商人がすごく経済力をつけていたのでこうした家はかなり多かったみたい
ナニ？
つまり〝武士気分〟を味わう為に皆お金を積んだのです
それ程庶民には武士身分が憧れだつたと言えるでしょう
偶然武士の子に生まれた私たちは超ラッキーだったんですね♡
元々武士身分な訳ですもんねー♡
ちょーっと待った!!
果たしてそうかな？
えっ!?
ってまさか⑤の答も…!?
「武士の子の身分は武士か」？
実はこれも「×」なんですねー

武士の子の身分はあくまで武士の"子"!
武士身分と言えるのは実は家長たる父親(もしくは長兄など)ひとりだけなのです!
ONLY PAPA
つまり正式な武士身分とは幕府なり大名なりに「仕官して初めて与えられるもの」なので
その家督を相続する以前は長男でさえも"部屋住み"というまるで居候の様な名で呼ばれていました
武士の妻
武士
武士の子
次男以下では養子先もみつからず一生を部屋住み身分で終える者さえあつたとか
女性の価値は誰の妻になりどんな子を産むかで決まる。そんな時代でしたさ。
部屋住み
女児は相続権ナシ。
武士の子も色々大変だったんだー
現代にもいますよね30過ぎて部屋住みの息子とか娘とか…
いらんコトに気づくな!
さあっ!!
かくも険しい"正式の武士"への道を行く近藤・土方達の夢が叶う日はいつっ!?
今後の「風光る」に乞う御期待!!
〈風光る日誌R〉＊おわり＊

作画協力

大野淳子
筒井博子
川口由加
高橋志保

~作品へのご意見・ご感想をお寄せください~

〒101-8001
東京都千代田区一ツ橋2-3-1
小学館『flowers』編集部
渡辺多恵子
●メールはこちらから(flowers HP)
http://flowers.shogakukan.co.jp

風光る⑰

flowersフラワーコミックス

2005年2月20日初版第1刷発行 （検印廃止）

著者 渡辺多恵子
発行者 笹原博

「flowers」2004年7月号〜12月号掲載作品
連載担当者／上村浩子（ユキ・ワークス）
単行本編集責任者／佐藤礼文
単行本編集者／佐藤礼文、小林信彦（ユキ・ワークス）

発行所 株式会社 小学館
〒101-8001 東京都千代田区一ツ橋2の3の1
TEL 販売03（5281）3556 編集03（3230）5826
振替 00180-1-200

印刷所 凸版印刷株式会社

ISBN4-09-138107-3

FC 渡辺多恵子のフラワーコミックス
女であることを隠し、新選組で武士として生きるセイだが…？
風光る
①～⑰
弟たちが芸能界デビュー!! 付き人になった姉・はじめは…!?
◆小学館文庫
はじめちゃんが一番！
全9巻・番外編
◆イラストブック
はじめちゃんが一番!SPECIAL
BORN TO BE IDOL!
――アイドルで行こう!――

風光る京都
沖田総司と歩く新選組の舞台
Flower Do it!
風光る京都
協力 渡辺多恵子
沖田総司と歩く新選組の舞台
総ちゃんと京都を歩こう!!
新選組史跡ガイドの決定版!!
書店にない場合は注文してね♡
◆上洛してから京を去るまで、新選組が活躍した場所を徹底取材！
◆ココをおさえておけばOK!! 3つのモデルコースを設定！
◆おすすめショップやご利益寺社など、京都情報盛りだくさん！
大好評発売中!!
定価1300円(税込)
発行/小学館